Ce livre appartient à:

© 1998, *l'école des loisirs*, Paris

Loi N° 49 956 du 16 juillet 1949,
sur les publications destinées à la jeunesse:
mars 1998.

Dépôt légal: mars 1998

Imprimé en Italie par *Grafiche AZ*, Vérone

TOUT BARBOUILLÉ !

Texte et illustrations de Jeanne Ashbé

PASTEL
l'école des loisirs

Barbouilli, gribouilli.
Faire de la peinture,
j'adooooore!

Et pssssscht…
Se laver les mains
quand c'est fini,
j'adore aussi!

Miam, miam, miam.
Manger comme un grand,
quel travail !

Mais après le dîner,
mon bébé barbouillé,
il faut bien te nettoyer !
Ouâââ …

Plouch, plouch, plouch
dans les flaques.
Il y a de la boue partout!

Et...
tout frais, tout doux.
Après le bain,
il n'y a plus de boue du tout !

Ouh ! Il faut la jeter
cette couche-là !

Et puis,
en mettre une autre,
toute douce.

Touille, touille, touille.
À la mer,
je fais de la patouille.

Mais aussi,
plit, plit, plet,
des petites trempettes.

Mmmmh ! C'est bon
la glace au chocolat.
Mais ça coule…
Oh là là là !

C'est pas grave.
Il s'est endormi,
ce bébé-là.
Chhhht !